Michel Garneau, dit Garnotte, est né à Montréal en 1951. Après des études en géographie, il a collaboré comme illustrateur, caricaturiste ou bédéiste à plusieurs journaux et revues, notamment *CROC, TV Hebdo, Protégez-vous, Titanic* (dont il était aussi rédacteur en chef), *Les Débrouillards, La Terre de chez nous, Nouvelles CSN* et *Relations*. Depuis avril 1996, il est caricaturiste au quotidien *Le Devoir*.

Du même auteur :
N'ajustez pas vos appareils, Ludcom, 1981
C'est pas parce qu'on travaille que c'est drôle !, Nouvelles CSN, 1988
Pauvres riches et autres contradictions, Kamicase,1990
Stéphane l'apprenti inventeur, Les éditions Héritage, 1993
Sophie et ses plus chouettes recettes d'entourloupettes (avec Henriette Major), Les éditions Héritage,1995
Les plus meilleures caricature de Garnotte en 2003, Les éditions du Concassé, 2003

Conception et production graphiques : Mathilde Hébert
Correction d'épreuves : Patricia Belzil

Diffusion au Canada :
Fides
358, rue Lebeau
Saint-Laurent (Québec)
Canada H4N 1W4
(514) 745-4290

Éditions du Concassé : garnotte@ledevoir.ca

ISBN 2-9808209-1-1

Dépôt légal : 4e trimestre 2004
Bibliothèque nationale du Québec
Bibliothèque nationale du Canada

Catalogage avant publication de Bibliothèque et Archives Canada

Garnotte

   Des caricatures propres-- à 2004

   ISBN 2-9808209-1-1

      1. Humour par l'image canadien - Québec (Province). 2. Québec (Province) - Politique et gouvernement - 2003- - Caricatures et dessins humoristiques. 3. Politique mondiale - 21e siècle - Caricatures et dessins humoristiques. 4. Canada - Politique et gouvernement - 1993- - Caricatures et dessins humoristiques. I. Titre

NC1449.G37A4 2004   741.5'971   C2004-941797-5

Imprimé au Canada

GARNOTTE

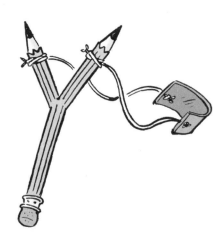

CONCASSE

Voyage de la First Lady à Paris. Des photos la représentent ravie
d'un baise-main du président Chirac.

Le politologue Jean-Herman Guay annonce brutalement, en plein conseil national du PQ, que le rêve de la souveraineté demeurera un rêve… au moment même où se déroule la cérémonie pour la béatification de Mère Teresa.

L'annulation d'un concert punk dégénère en émeute…

Des dizaines de Marocains auraient obtenu illégalement une carte d'assurance-maladie du Québec.

Les parents d'une bénéficiaire de Saint-Charles-Borromée ont enregistré les propos scandaleux de deux préposés qui tentaient notamment de lui faire croire qu'un homme se masturbait devant sa fenêtre. Après la demande d'enquête du ministre de la Santé, le directeur de l'établissement disparaît… et se suicide à la consternation de tous.

Les législatives russes ont été marquées par le non-respect de nombreux critères démocratiques et reflètent une « régression » de la démocratie en Russie, ont estimé les observateurs de l'OSCE et du Conseil de l'Europe.

Le président français Jacques Chirac s'est prononcé le 17 décembre pour l'interdiction à l'école des signes religieux « ostensibles », notamment le foulard islamique, la kippa et les grandes croix, malgré les mises en garde des autorités religieuses du pays.

Un commando des forces spéciales américaines a capturé le dictateur déchu de l'Irak, Saddam Hussein. Il se terrait dans une cache pas plus grande qu'une tombe, près de sa ville natale de Tikrit, avec deux kalachnikovs, un pistolet et 750 000 $US en main.

New York poursuivait hier, à trois jours de Noël, sa préparation des fêtes en dépit de la menace d'un attentat qui pourrait être, selon les autorités américaines, plus dévastateur que les attaques du 11 septembre 2001.

Le robot Spirit commence sa mission d'exploration de la planète Mars.

La contrebande de cigarettes qui sévit à Kanesatake donne lieu à de vives tensions.
Une trentaine de Mohawks cagoulés bloquent deux routes névralgiques dans la région d'Oka,
tandis que la maison du grand chef du Conseil de bande, James Gabriel, est incendiée.

Pendant que le PLC montre la porte à la femme la plus connue de la famille libérale,
le nouveau Parti conservateur déroule le tapis « bleu » pour Belinda Stronach.

Le premier ministre britannique Tony Blair est sorti relativement indemne du rapport du juge Brian Hutton, largement consacré au dossier irakien, qui a présenté hier des conclusions très sévères pour la radiotélévision publique BBC.

La Cour suprême encadre le droit à la fessée : la correction ne peut être infligée
qu'aux enfants de plus de deux ans et les coups à la tête sont proscrits.

LA COUR SUPRÊME PERMET LA FESSÉE,
MAIS TROUVE DÉRAISONNABLE DE FRAPPER UN ENFANT À LA TÊTE !

L'ex-ministre libéral Martin Cauchon annonce son départ de la vie politique, ouvrant du coup la porte de la circonscription d'Outremont à Jean Lapierre, qui a quitté la veille son poste d'animateur à CKAC et de chef d'antenne à TQS.

Après que Stéphane Dion s'est autoproclamé « sauveur du Canada »,
il devient franchement pathétique de le voir s'accrocher à son siège.

Paul Martin privilégie des femmes dans certaines circonscriptions, mais il en réserve d'autres à ses proches.
On apprend qu'un ancien conseiller de Jean Chrétien, Steven Hogue, se fait barrer la route dans Saint-Maurice pour,
officiellement, favoriser une femme. Le premier ministre a pourtant refusé d'intervenir pour venir en aide
à Sheila Copps, qui doit faire la lutte au ministre Tony Valeri dans Hamilton-East-Stoney-Creek.

Les allégations les plus troublantes concernant le Programme fédéral de commandites circulaient
dans les médias depuis quatre ans, et le rapport de la vérificatrice générale Sheila Fraser les a à peu près
toutes confirmées : opérations de camouflage, « graissage de pattes » d'agences de publicité,
arbitraire total des décisions et interférence du ministre Alfonso Gagliano.

D'APRÈS
LE CRI DE MUNCH

... LE TAUREAU PAR LES CORNES

42

Le commentateur de *Hockey Night in Canada*, Don Cherry, crée le scandale non par ses tenues vestimentaires extravagantes, mais par ses propos frisant le racisme à l'endroit des joueurs européens et francophones.

Fin des expériences : Bernard Derome revient à la barre du *Téléjournal* de Radio-Canada.

La médaillée d'or du biathlon, Myriam Bédard, déclenche une véritable tempête en faisant part des pratiques qu'elle juge « pas catholiques » au sein de l'équipe de publicité et de commandite de Via Rail.

Au même moment, les fortes pressions de la communauté internationale ont raison de l'entêtement de Jean-Bertrand Aristide, qui s'accrochait à son poste et refusait d'admettre que Haïti était plongé dans le chaos.

À seulement trois jours des élections législatives en Espagne, dix bombes explosent à l'heure de pointe dans des trains et des gares de Madrid, tuant 192 personnes et en blessant plus de 1 200.

ÉLECTION 'A L'ESPAGNOLE...

Ça sent les élections, les partis d'opposition se préparent… Après une course à la chefferie du nouveau Parti conservateur, c'est Stephen Harper qu'on retrouve bien en selle pour tenter de battre Paul Martin au fil d'arrivée.

Quant au Bloc, il met toutes les chances de son côté en répondant
plus qu'évasivement à l'offre de service de « Monsieur »…

Jour de budget fédéral…

...et jour de budget provincial.

POISSON D'AVRIL...

L'ancien chef conservateur Joe Clark décoche quelques flèches à l'endroit de Stephen Harper, affirmant qu'il serait dangereux de le laisser diriger le pays et que Paul Martin serait un moindre mal.

Décès de Micheline Charest, présidente de Cinar, à la suite d'une chirurgie esthétique.

Sitôt annoncé par Jacques Chagnon, le plan d'intégration de patrouilles policières
sur le territoire de Kanesatake est reporté.

Paul Martin essaie de se donner une image de chef d'État en rencontrant
les plus grands leaders spirituels de la planète…

Un rapport de l'armée américaine révèle des exactions commises par ses soldats contre des prisonniers irakiens.

« Un parti propre au Québec » : le slogan du Bloc fait bondir le PLC et le force à répliquer… sans détour.

Le Bloc rêve d'un gouvernement minoritaire conservateur.

À quelques jours du Tour de l'Île de Montréal, les citoyens décident
la tenue de référendums sur les défusions dans vingt-deux arrondissements.

Les sondages laissant entrevoir un gouvernement minoritaire conservateur forcent Stephen Harper à s'expliquer sur ses intentions advenant une prise du pouvoir sans représentants du Québec.

Quinze secteurs de la grande ville de Montréal décident de défusionner, mais le maire Gérald Tremblay
tient tout de même à parler de «grande victoire pour Montréal» puisque d'importants secteurs
comme Saint-Laurent, Anjou et LaSalle resteront dans la ville.

28 juin : gouvernement libéral minoritaire. Il faudra apprendre à composer...

Poussé à bout par les propos offensants de Jeff Fillion et d'André Arthur,
le CRTC condamne CHOI-FM à la fermeture…

...et dans la même semaine, il autorise la diffusion au Canada
de la chaîne de télévision qatarie Al-Jazira

Le gouvernement américain reconnaît que les documents l'ayant conduit à relever
le niveau d'alerte terroriste à Washington et à New York remontaient… à 2000 et 2001 !

Jacques Parizeau propose un nouveau plan d'accession à la souveraineté, qui fait l'économie d'un troisième référendum, le PQ sollicitant directement aux prochaines élections le mandat de réaliser l'indépendance.

Le PQ veut créer une radio souverainiste sur Internet pour contrer les médias hostiles à LA cause.

Pauline Marois réclame officiellement une course à la présidence du Parti québécois.

Jour de rentrée des classes dans une école de Beslan, une petite ville d'Ossétie du Nord, république russe voisine de la Tchétchénie. Un commando d'une vingtaine d'hommes et de femmes, bardés de ceintures d'explosifs, prend d'assaut le bâtiment et retient de nombreux enfants en otages. Il exige le retrait des troupes russes en Tchétchénie.

Premier débat télévisé opposant les deux candidats à la présidence américaine : les sondages donnent l'avantage à Kerry.

« L'option souverainiste est dépassée, désuète et vétuste. » C'est la conclusion à laquelle en arrivent trois jeunes députés du Parti québécois, Alexandre Bourdeau, Stéphan Tremblay et Jonathan Valois, dits les Mousquetaires, après avoir fait une tournée auprès de jeunes de tous les horizons du 30 janvier au 7 avril dans vingt-cinq villes du Québec.

Jean Charest confirme que les millions versés au Québec par Ottawa pour la santé dès cette année seront absorbés par le fonds consolidé. Le réseau de la santé ne verra pas la couleur de cet argent. « On l'a déjà investi en santé », a-t-il dit.

Après sa victoire dans Vanier grâce à l'appui de CHOI-FM, l'ADQ propose de faire du Québec un État autonome, doté d'une constitution et exerçant les pleins pouvoirs en matière de perception des impôts.

L'ancien joueur de hockey et directeur-gérant du Canadien, Serge Savard, aurait échoué
à deux alcootests à la suite de deux accrochages au centre-ville de Montréal.

Après des années de tergiversations, les Expos déménagent finalement à Washington.

Conflit entre la direction et les musiciens et déficit endémique, voilà les deux principaux dossiers auxquels devra s'attaquer le nouveau président du conseil d'administration de l'OSM.

À suivre tous les jours dans...

LE DEVOIR

Achevé d'imprimer
le 29 octobre 2004 sur les presses de Métrolitho